Y CROCHAN HUD

Anne Brooke
Lluniau gan Roger Bowles

D1612206

GOMER

Argraffiad cyntaf—Mai 1996

ISBN 1 85902 232 4

ⓗ Anne Brooke/Prifysgol Morgannwg

26402785

Dymuna'r cyhoeddwyr gydnabod cymorth Adran Ddylunio Cyngor Llyfrau Cymru.

Mae'r gyfrol hon yn rhan o brosiect a noddir gan y Swyddfa Gymreig a Phrifysgol Morgannwg. This book is part of a project funded by the Welsh Office and the University of Glamorgan.

Argraffwyd gan
Wasg Gomer, Llandysul, Dyfed

Un tro roedd merch fach o'r enw Nest yn byw gyda'i mam mewn bwthyn yn ymyl y goedwig.

Nawr roedd Nest a'i mam yn dlawd iawn ac
o'r diwedd
doedd
ganddyn
nhw ddim
bwyd o gwbl
yn y tŷ.
Dim llaeth
ar y bwrdd.

Dim jam a bara
menyn yn y pantri.
Dim-yw-dim.
'O beth wnawn ni?'
meddai Mam a
dechreuodd hi
lefain.

'Paid â phoeni, Mam
fach,' meddai Nest.
'Fe a' i i'r goedwig i
chwilio am fwyd.
Bydd 'na rywbeth
i'w gael yn fanna
siŵr o fod.'
Ac i ffwrdd â hi â
basged yn ei llaw.

Ar ôl cyrraedd y goedwig, dechreuodd Nest
chwilio am fwyd ym mhobman.

'Efallai y bydd
mefus wrth y nant o
hyd,' meddai hi.
Ond, pan aeth hi at
y nant, doedd dim
byd i'w gael. Roedd
tymor y mefus wedi
gorffen.

'Wel efallai
y bydd cnau ar y
coed cnau erbyn hyn,'
meddai Nest.
Ond, pan aeth hi i edrych ar
y coed cnau, doedd dim byd
i'w gael yn fanna chwaith.
Doedd tymor y cnau ddim
wedi cyrraedd eto.

'O diar!' meddai Nest. 'Does dim bwyd i'w gael yn unman. Beth wnawn ni? Beth wnawn ni?'

A dechreuodd hi lefain.

Ond yn sydyn reit
dyma hen wraig
fach yn sefyll o'i
blaen hi. 'Beth
sy'n bod, cariad?'
gofynnodd hi.
'Pam rwyt ti'n
llefain?'

'Mae eisiau bwyd
yn ofnadwy ar
Mam a fi,' meddai
Nest. 'Ond does
dim bwyd yn y tŷ a
dim byd i'w gael yn
y goedwig chwaith.
Dim-yw-dim!'

'Wel paid â phoeni dim rhagor,' meddai'r hen wraig fach, 'achos dyma i ti grochan bach hud.'

'Dim ond dwêd "Gwna uwd, grochan bach" a gwnaiff e'r uwd gorau yn y byd i ti a dy fam.

Wedyn, pan fyddwch chi'n llawn dop, dwêd "Aros, grochan bach" ac arhosiff e tan y tro nesaf.'

'Cofia'r geiriau
hud yna,' meddai'r
hen wraig.
'Maen nhw'n
BWYSIG IAWN.'

'Bydda' i'n siŵr o'i wneud,' meddai Nest yn
hapus. 'A diolch yn fawr iawn i chi am eich
help.'

I ffwrdd â Nest adre nerth ei thraed i ddangos y crochan hud i'w mam.

'Mam! Mam!' gwaeddodd hi. 'Edrych ar beth sy gen i! Bydd popeth yn iawn o hyn ymlaen!'

Dyma Nest yn rhoi'r crochan hud ar fwrdd y gegin. 'Gwna uwd, grochan bach!' meddai hi.

Yn syth bin dechreuodd y crochan wneud yr uwd gorau yn y byd iddyn nhw a dyma Nest a'i mam yn bwyta ac yn bwyta ac yn bwyta.

'Rwy'n llawn dop nawr,' dywedodd Nest o'r diwedd. 'Aros, grochan bach!'
Ac yna arhosodd y crochan hud tan y tro nesaf.

Wel roedd Mam wrth ei bodd. 'Bydd 'na ddigon o fwyd i ni am byth!' meddai hi.

Am amser maith wedyn aeth popeth yn iawn.
Ond un bore dyma Nest yn mynd allan i
chwarae yn y goedwig, tra oedd Mam wrthi'n
golchi'r dillad.

Hwyl fawr,
Mam!

Ar ôl gorffen ei gwaith,
dywedodd Mam, 'Mae eisiau
bwyd arna' i. Bydd tipyn o uwd
jyst y peth.'

Felly rhoddodd hi'r crochan hud ar fwrdd y gegin a dweud 'Gwna uwd, grochan bach.'

Yn syth bin dechreuodd y crochan wneud yr
uwd gorau yn y byd iddi hi a dyna Mam yn
bwyta ac yn bwyta.

'Whiw! Rwy'n llawn dop,' meddai hi o'r diwedd.
'Cei di stopio nawr, grochan bach.' Ond dal i
ferwi wnaeth y crochan.

'Nawr 'te, beth yw'r geiriau hud yna?' meddai
Mam, gan sychu'r bwrdd.
'O, rwy'n gwybod.
Sa' di, grochan bach.'

Ond dal i ferwi wnaeth y crochan.
Dechreuodd yr uwd lifo
i'r llawr.
'O diar,' meddai Mam.
'Nid dyna'r geiriau hud.
Beth ydyn nhw nawr?
O rwy'n cofio. Stopia,
grochan bach!' meddai hi.

Ond dal i ferwi wnaeth y crochan. Roedd yr uwd yn cuddio llawr y gegin erbyn hyn ac yn dechrau cripian i fyny'r grisiau.

'Bobol bach!' meddai Mam. 'Alla' i ddim cofio'r geiriau hud! Ond gwranda di, grochan bach. Rhaid i ti stopio! Paid â gwneud rhagor o uwd!'

Ond dal i ferwi wnaeth y crochan. Roedd yr
uwd wedi cyrraedd y stafell wely a dyma
Mam yn dringo i ben y cwpwrdd.

'Arswyd y byd!' meddai hi. 'Beth wna' i? Paid,
grochan bach annwyl, paid! Os gweli di'n dda!'

Ond dal i ferwi wnaeth y crochan.

'Help!' gwaeddodd Mam. 'Grochan bach . . .
glwb glwb,' meddai hi.

Wel yn ffodus iawn dechreuodd yr uwd lifo allan drwy'r ffenest a dyna Mam yn llifo gyda fe.

Jyst mewn pryd!

A'r funud yna cyrhaeddodd Nest adre o'r goedwig. 'Aros, grochan bach!' meddai hi.

Ac arhosodd y
crochan hud
o'r diwedd.

'Bydda' i'n cofio'r geiriau hud yna o hyn ymlaen,' meddai Mam. 'Ond, Nest fach, bydd eisiau i ni fwyta lot fawr o uwd cyn i'r tŷ fod yn lân eto!'

A dyna ddiwedd y stori.

Y CROCHAN HUD
The Magic Cauldron

5 **Un tro roedd merch fach o'r enw Nest yn byw gyda'i mam mewn**
Once there was a little girl named Nest living with her mother in a
bwthyn yn ymyl y goedwig.
cottage near the forest.

6 **Nawr roedd Nest a'i mam yn dlawd iawn ac o'r diwedd doedd**
Now Nest and her mother were very poor and at last they had no food
ganddyn nhw ddim bwyd o gwbl yn y tŷ.
at all in the house.
Dim llaeth ar y bwrdd.
No milk on the table.

7 **Dim jam a bara menyn yn y pantri. Dim-yw-dim.**
No jam and bread and butter in the pantry. Nothing at all.
'O beth wnawn ni?' meddai Mam a dechreuodd hi lefain.
'Oh what shall we do?' said Mam and she began to cry.

8 **'Paid â phoeni, Mam fach,' meddai Nest. 'Fe a' i i'r goedwig i chwilio**
'Don't worry, Mam dear,' said Nest. 'I'll go to the forest to look for
am fwyd. Bydd 'na rywbeth i'w gael yn fanna siŵr o fod.'
food. There'll be something to be had there surely.'
Ac i ffwrdd â hi â basged yn ei llaw.
And off she went with a basket in her hand.

9 **Ar ôl cyrraedd y goedwig, dechreuodd Nest chwilio am fwyd ym**
After reaching the forest, Nest began to look for food everywhere.
mhobman. 'Efallai y bydd mefus wrth y nant o hyd,' meddai hi.
'Perhaps there will still be strawberries by the brook,' she said.
Ond, pan aeth hi at y nant, doedd dim byd i'w gael.
But, when she went to the brook, there was nothing to be had.
Roedd tymor y mefus wedi gorffen.
The strawberry season had ended.

10 **'Wel efallai y bydd cnau ar y coed cnau erbyn hyn,' meddai Nest.**
'Well perhaps there will be nuts on the nut trees by now,' said Nest.
Ond, pan aeth hi i edrych ar y coed cnau, doedd dim byd i'w gael
But, when she went to look at the nut trees, there was nothing to be had
yn fanna chwaith. Doedd tymor y cnau ddim wedi cyrraedd eto.
there either. The nut season had not arrived yet.

11 **'O diar!' meddai Nest. 'Does dim bwyd i'w gael yn unman. Beth**
'Oh dear!' said Nest. 'There's no food to be had anywhere. What shall
wnawn ni? Beth wnawn ni?' A dechreuodd hi lefain.
we do? What shall we do?' And she began to cry.

12 **Ond yn sydyn reit dyma hen wraig fach yn sefyll o'i blaen hi.**
But suddenly a little old woman was standing before her.
'Beth sy'n bod, cariad?' gofynnodd hi. 'Pam rwyt ti'n llefain?'
'What's the matter, dear?' she asked. 'Why are you crying?'

13 **'Mae eisiau bwyd yn ofnadwy ar Mam a fi,' meddai Nest.**
'Mam and I are awfully hungry,' said Nest.
'Ond does dim bwyd yn y tŷ a dim byd i'w gael yn y goedwig
'But there is no food in the house and nothing to be had in the forest
chwaith. Dim-yw-dim!'
either. Nothing at all!'

14 **'Wel paid â phoeni dim rhagor,' meddai'r hen wraig fach, 'achos**
'Well don't worry any more,' said the little old woman, 'because here's a
dyma i ti grochan bach hud.'
little magic cauldron for you.'

15 **'Dim ond dwêd "Gwna uwd, groch'an bach" a gwnaiff e'r uwd gorau**
'Just say "Make porridge, little cauldron" and it will make the best
yn y byd i ti a dy fam. Wedyn, pan fyddwch chi'n llawn dop, dwêd
porridge in the world for you and your mother. Then, when you are full
"Aros, grochan bach" ac arhosiff e tan y tro nesaf.'
up, say "Stop, little cauldron" and it will stop until the next time.'

16   'Cofia'r geiriau hud yna,' meddai'r hen wraig. 'Maen nhw'n
'Remember those magic words,' said the old woman. 'They are VERY
BWYSIG IAWN.' 'Bydda' i'n siŵr o'i wneud,' meddai Nest yn
IMPORTANT.' 'I'll be sure to do it,' said Nest happily. 'And thank you
hapus. 'A diolch yn fawr iawn i chi am eich help.'
very much for your help.'

17   **I ffwrdd â Nest adre nerth ei thraed i ddangos y crochan hud i'w**
Away went Nest as fast as she could go to show the magic cauldron to
mam. 'Mam! Mam!' gwaeddodd hi. 'Edrych ar beth sy gen i!
her mother. 'Mam! Mam!' she shouted. 'Look at what I've got!
Bydd popeth yn iawn o hyn ymlaen!'
Everything will be all right from now on!'

18   **Dyma Nest yn rhoi'r crochan hud ar fwrdd y gegin. 'Gwna uwd,**
Nest put the magic cauldron on the kitchen table. 'Make porridge,
grochan bach!' meddai hi.
little cauldron!' she said.

19   **Yn syth bin dechreuodd y crochan wneud yr uwd gorau yn y byd**
Straightaway the cauldron began to make the best porridge in the world
iddyn nhw a dyma Nest a'i mam yn bwyta ac yn bwyta ac yn bwyta.
for them and Nest and her mother ate and ate and ate.

20   **'Rwy'n llawn dop nawr,' dywedodd Nest o'r diwedd. 'Aros, grochan**
'I'm full up now,' said Nest at last. 'Stop, little cauldron!'
bach!' Ac yna arhosodd y crochan hud tan y tro nesaf. Wel roedd
And then the magic cauldron stopped until the next time.
Mam wrth ei bodd. 'Bydd 'na ddigon o fwyd i ni am byth!'
Well Mam was delighted. 'There'll be plenty of food for us forever!'
meddai hi.
she said.

21   **Am amser maith wedyn aeth popeth yn iawn. Ond un bore dyma**
For a long time afterwards everything went all right. But one morning

Nest yn mynd allan i chwarae yn y goedwig, tra oedd Mam wrthi'n
Nest went out to play in the forest, while Mam was busy washing the
golchi'r dillad. (Hwyl fawr, Mam!)
clothes. (Good-bye, Mam!)
Ar ôl gorffen ei gwaith, dywedodd Mam, 'Mae eisiau bwyd arna' i.
After finishing her work, Mam said, 'I'm hungry.
Bydd tipyn o uwd jyst y peth.'
A little porridge will be just the thing.'

22 **Felly rhoddodd hi'r crochan hud ar fwrdd y gegin a dweud,**
So she put the magic cauldron on the kitchen table and said,
'Gwna uwd, grochan bach.'
'Make porridge, little cauldron.'

23 **Yn syth bin dechreuodd y crochan wneud yr uwd gorau**
Straightaway the cauldron began to make the best porridge
yn y byd iddi hi a dyna Mam yn bwyta ac yn bwyta.
in the world for her and Mam ate and ate.
'Whiw! Rwy'n llawn dop,' meddai hi o'r diwedd. 'Cei di stopio nawr,
'Whew! I'm full up,' she said at last. 'You may stop now,
grochan bach.' Ond dal i ferwi wnaeth y crochan.
little cauldron.' But the cauldron continued to boil.

24 **'Nawr 'te, beth yw'r geiriau hud yna?' meddai Mam, gan sychu'r**
'Now then, what are those magic words?' said Mam, wiping the table.
bwrdd. 'O, rwy'n gwybod. Sa' di, grochan bach.'
'Oh, I know. Stop, little cauldron.'

25 **Ond dal i ferwi wnaeth y crochan. Dechreuodd yr uwd lifo i'r**
But the cauldron continued to boil. The porridge began to flow (down)
llawr. 'O diar,' meddai Mam. 'Nid dyna'r geiriau hud. Beth ydyn
to the floor. 'Oh dear,' said Mam. 'Those aren't the magic words. What are
nhw nawr? O rwy'n cofio. Stopia, grochan bach!' meddai hi.
they now? Oh I remember. Stop, little cauldron!' she said.

26 **Ond dal i ferwi wnaeth y crochan. Roedd yr uwd yn cuddio**
But the cauldron continued to boil. The porridge was covering the
llawr y gegin erbyn hyn ac yn dechrau cripian i fyny'r grisiau.
kitchen floor by now and beginning to creep up the stairs.
'Bobol bach!' meddai Mam. 'Alla' i ddim cofio'r geiriau hud! Ond
'Heavens!' said Mam. 'I can't remember the magic words! But you
gwranda di, grochan bach. Rhaid i ti stopio! Paid â gwneud
listen, little cauldron. You must stop! Don't make
rhagor o uwd!'
any more porridge!'

27 **Ond dal i ferwi wnaeth y crochan. Roedd yr uwd wedi cyrraedd y**
But the cauldron continued to boil. The porridge had reached the
stafell wely a dyma Mam yn dringo i ben y cwpwrdd. 'Arswyd y
bedroom and Mam climbed to the top of the cupboard. 'Good gracious!'
byd!' meddai hi. 'Beth wna' i? Paid, grochan bach annwyl, paid!
she said. 'What shall I do? Don't, dear little cauldron, don't!
Os gweli di'n dda.'
Please!'

28 **Ond dal i ferwi wnaeth y crochan. 'Help!' gwaeddodd Mam.**
But the cauldron continued to boil. 'Help!' shouted Mam.
Grochan bach . . . glwb glwb,' meddai hi.
'Little cauldron . . . glub glub,' she said.

29 **Wel yn ffodus iawn dechreuodd yr uwd lifo allan drwy'r ffenest a**
Well very luckily the porridge began to flow out through the window and
dyna Mam yn llifo gyda fe. Jyst mewn pryd!
Mam flowed with it. Just in time!

30 **A'r funud yna cyrhaeddodd Nest adre o'r goedwig.**
And at that (very) minute Nest arrived home from the forest.
'Aros, grochan bach!' meddai hi.
'Stop, little cauldron!' she said.

31 **Ac arhosodd y crochan hud o'r diwedd.**
And the magic cauldron stopped at last.

32 **'Bydda' i'n cofio'r geiriau hud yna o hyn ymlaen,' meddai Mam.**
'I'll remember those magic words from now on,' said Mam. 'But, Nest
'Ond Nest fach, bydd eisiau i ni fwyta lot fawr o uwd cyn i'r tŷ
dear, we'll need to eat a great deal of porridge before the house is
fod yn lân eto!'
clean again!'
A dyna ddiwedd y stori.
And that's the end of the story.